牧歌

小麻雀
在人行道上
天真地跳来跳去，
尖着嗓子
争吵着
那些它们
感兴趣的东西。
可是更聪明的我们
却无论如何
都要把自己封闭起来
没人知道
我们的想法是善
还是恶。

同时，
那四处捡拾
椴树籽的老人
走在排水沟里
头也不抬
他的步履
威严肃穆，胜过
圣公会的牧师
走向礼拜日
讲坛的步伐。
这些东西
惊得我哑口无言。

画眉

幸运儿啊，这不算太晚
一只画眉
飞进了我的花园

初雪之前
它默默地看着我
一动也不动

它那带着斑斑点点的胸脯
映出寒冬的悲凉
让我不禁思念我爱的人

怨言（节选）

他们叫我 我就去。
午夜已过
冰冷的道路上，
雪尘凝在
僵硬的车辙里。
房门开了。
我微笑，进屋
抖去寒意。

in the
much
upon
AND
the
Moon

LABOR

A River OF WORDS
会唱诗的河
[美] 珍·布赖恩特/著
[美] 梅利莎·斯威特/绘
马爱农/译
这是关于诗人威廉·卡洛斯·威廉斯的故事。
梦之旅
凯迪克大奖绘本
时代出版传媒股份有限公司
安徽少年儿童出版社

著作权登记号:皖登字12151525号

图书在版编目（CIP）数据

梦之旅凯迪克大奖绘本. 会唱诗的河 / (美) 布赖恩特 (Bryant,J.) 著；(美) 斯威特 (Sweet,M.) 绘；马爱农译. —合肥：安徽少年儿童出版社, 2016.1

ISBN 978-7-5397-8478-6

Ⅰ. ①梦… Ⅱ. ①布… ②斯… ③马… Ⅲ. ①儿童文学－图画故事－美国－现代 Ⅳ. ①I712.85

中国版本图书馆CIP数据核字(2015)第271444号

MENG ZHI Lü KAIDIKE DAJIANG HUIBEN HUI CHANG SHI DE HE
梦之旅凯迪克大奖绘本·会唱诗的河

[美]珍·布赖恩特/著　[美]梅利莎·斯威特/绘　马爱农/译

出版人：张克文　　执行策划：牛硕　　选题策划：梦溪今典
责任编辑：陆莉莉　　版权运作：古宏霞　芮嘉　　特约编辑：罗玄
装帧设计：张然　　责任印制：田航
出版发行：时代出版传媒股份有限公司 http://www.press-mart.com
安徽少年儿童出版社　E-mail:ahse1984@163.com
新浪官方微博：http://weibo.com/ahsecbs
腾讯官方微博：http://t.qq.com/anhuishaonianer（QQ：2202426653）
（安徽省合肥市翡翠路1118号出版传媒广场　邮政编码：230071）
市场营销部电话：（0551）63533532（办公室）　63533524（传真）
（如发现印装质量问题，影响阅读，请与本社市场营销部联系调换）
印　　制：北京盛通印刷股份有限公司
开　　本：889mm×1194mm　1/16　印张：3
版　　次：2016年1月第1版　2016年1月第1次印刷
ISBN 978-7-5397-8478-6　定价：39.80元

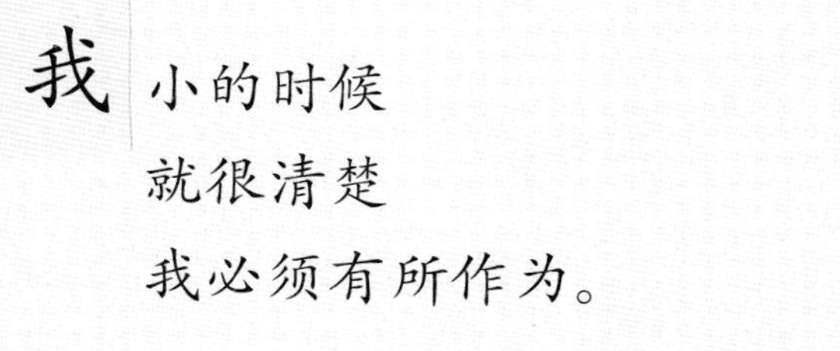

我小的时候
就很清楚
我必须有所作为。

——威廉·卡洛斯·威廉斯《牧歌》

和新泽西州拉瑟福德的其他男孩一样，威利·威廉斯喜欢打棒球，跟朋友们一起在街上追跑玩闹。

可是，其他男孩都回家以后，威利还待在外面。
他翻过自家后院的栅栏，独自在树林和田野里游荡。

那时候，小镇外面还有不少荒野，威利可以去探险。

“我们家威利眼睛可尖了——他什么东西都能注意到！”妈妈这样对邻居们说。也确实如此……

威利在高高的野草丛中漫步，在松软的泥土路上行走，还仔细观察着周围的一切。

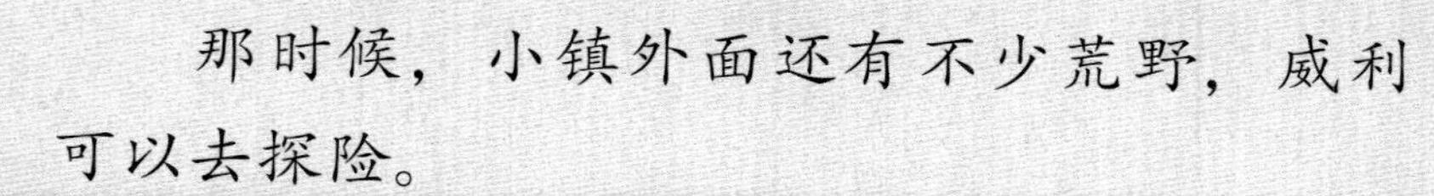

累了，他就伸展四肢，躺在帕赛伊克河畔。

汩汩，汩汩——哗啦，哗啦，哗啦——汩汩，汩汩。

河水轻轻掠过光滑的岩石，顺着瀑布倾泻而下，最后又归于平静。河流悦耳的鸣唱让威利感到既兴奋，又安宁。有时候，他就在河水优美的旋律中，渐渐入梦。

长大一些后，威利没有那么多时间在树林和田野里游荡，或是在河边打盹儿了。大家开始叫他威廉。

进了中学，威廉要上课，要参加田径训练，还要做许多家庭作业。“威廉总是急匆匆的！”妈妈告诉邻居们。的确是这样。

可是，每当阿波特先生在英语课上给同学们念诗时，威廉就不再感到焦虑匆忙了。诗歌柔美的音调和变换的韵律，就像河水流动的旋律。老师读着一行行诗句，威廉闭上眼睛，让它们在脑海里形成画面。

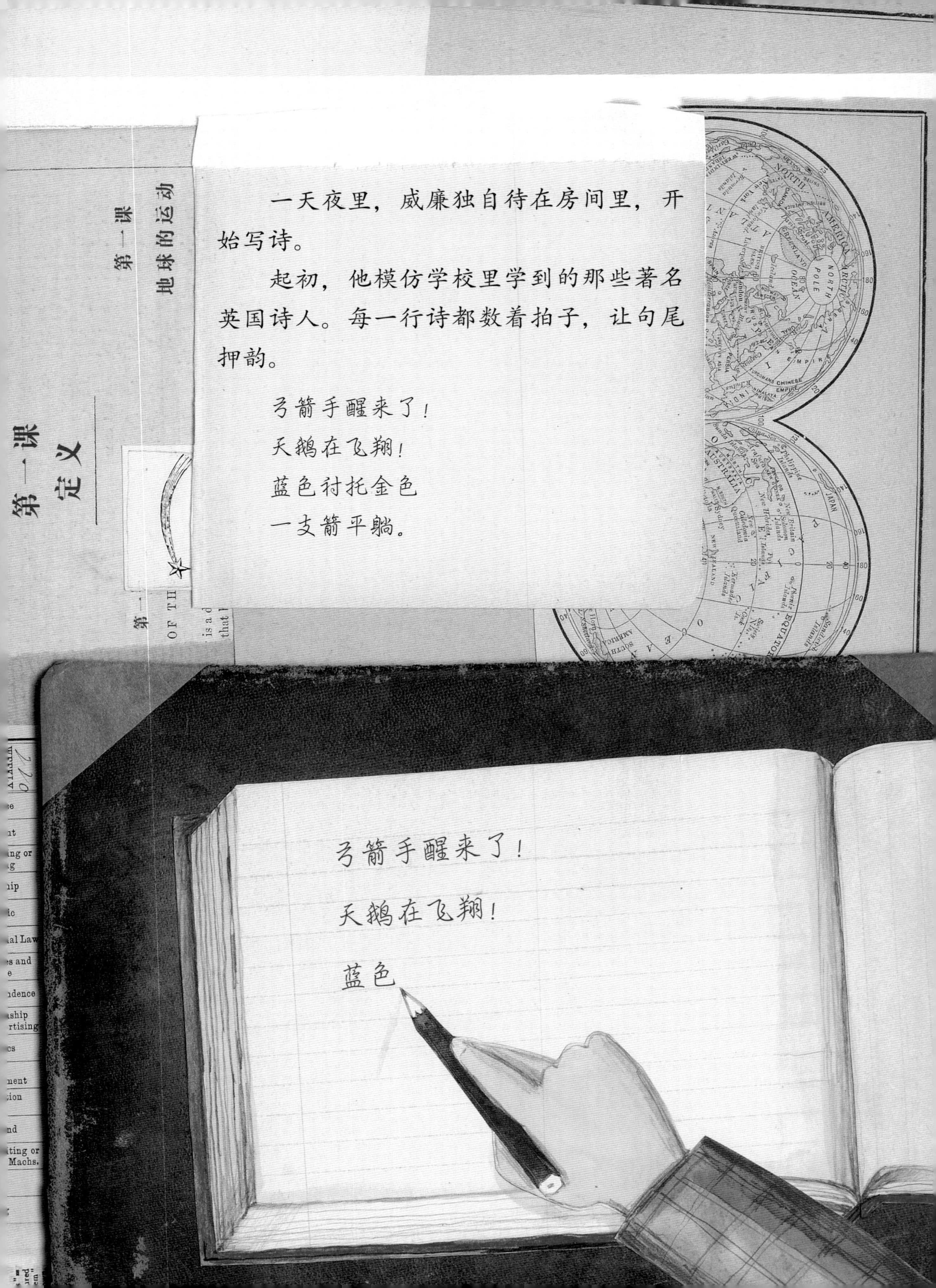

一天夜里，威廉独自待在房间里，开始写诗。

起初，他模仿学校里学到的那些著名英国诗人。每一行诗都数着拍子，让句尾押韵。

弓箭手醒来了！
天鹅在飞翔！
蓝色衬托金色
一支箭平躺。

威廉喜欢诗。

每天晚上，他都盼望着坐在桌旁，写上几行诗。

可是过了一阵子，他感到有点泄气。

他脑海中的那些画面，并不能恰好嵌入固定的韵律和韵脚。“我从没见过天鹅和弓箭手，”威廉想，“我想写一些普普通通的东西——李子、独轮手推车和芦苇，蒸汽机、孩子和树——那些我走在街上或者站在窗口就能看见的东西。”

于是，威廉试着用一种新的风格写诗。他不再数节拍，让每一行末尾的词押韵，而是让每一首诗在纸上找到自己独特的形态。

白杨树上有一只鸟！
那是太阳！
树叶是黄色的小鱼
正在河里游动。

白杨树上有一只鸟！

那是

太阳！

树叶是
黄色的小鱼
正在河里
游动。

现在，威廉写诗时感觉就像帕赛伊克河水冲向瀑布一样自由洒脱。一首诗接一首诗，威廉写满了一个又一个笔记本。

“我儿子是个很好的作家。”妈妈说。确实如此。

然而不幸的是，没有人愿意花很多钱去买诗，而威廉需要挣钱养家。

小麻雀
在人行道上
天真地
跳来跳去

尖着嗓子
争吵着
它们感兴趣的
那些东西。

妈妈跟威廉讲过她的哥哥卡洛斯的故事。卡洛斯是个医生。妈妈告诉威廉："你外公去世后，是卡洛斯的薪水养活了我们全家。"

威廉喜欢救治病人，也渴望能挣钱养活家人。可是，他能不能在做这两件事的同时，还继续写诗呢？

DREAMS

梦想不是坏事

我的诗来自

内心的感动。

许多都依靠着

劳动

十九岁那年，威廉进入大学读医科。他在那里认识了埃兹拉·庞德、希尔达·杜立特尔和查尔斯·德穆思。埃兹拉和希尔达学文学，查尔斯学绘画。

多少个下午，朋友们坐在一起谈论书、音乐和艺术。随着医科学习越来越难，威廉越来越喜欢跟朋友们共处的时光。

在雨中
灯影里
我看见了数字5

金色
在一辆
红色
消防车上

摇晃
绷紧

被忽视
当当的
锣鸣
呼啸的
警笛
滚过黑暗城市的
隆隆车轮

40 Dr. Wm C Williams Cash.

毕业后，威廉回到拉瑟福德，挂牌经营起了诊所：“威廉·C.威廉斯，医学博士——家庭医生。”

每天上午，威廉·威廉斯医生在他的黑包里装满药品和器械，开车去病人家里给他们看病。

每天下午，他回到自己的诊所，还有许多病人在等他。

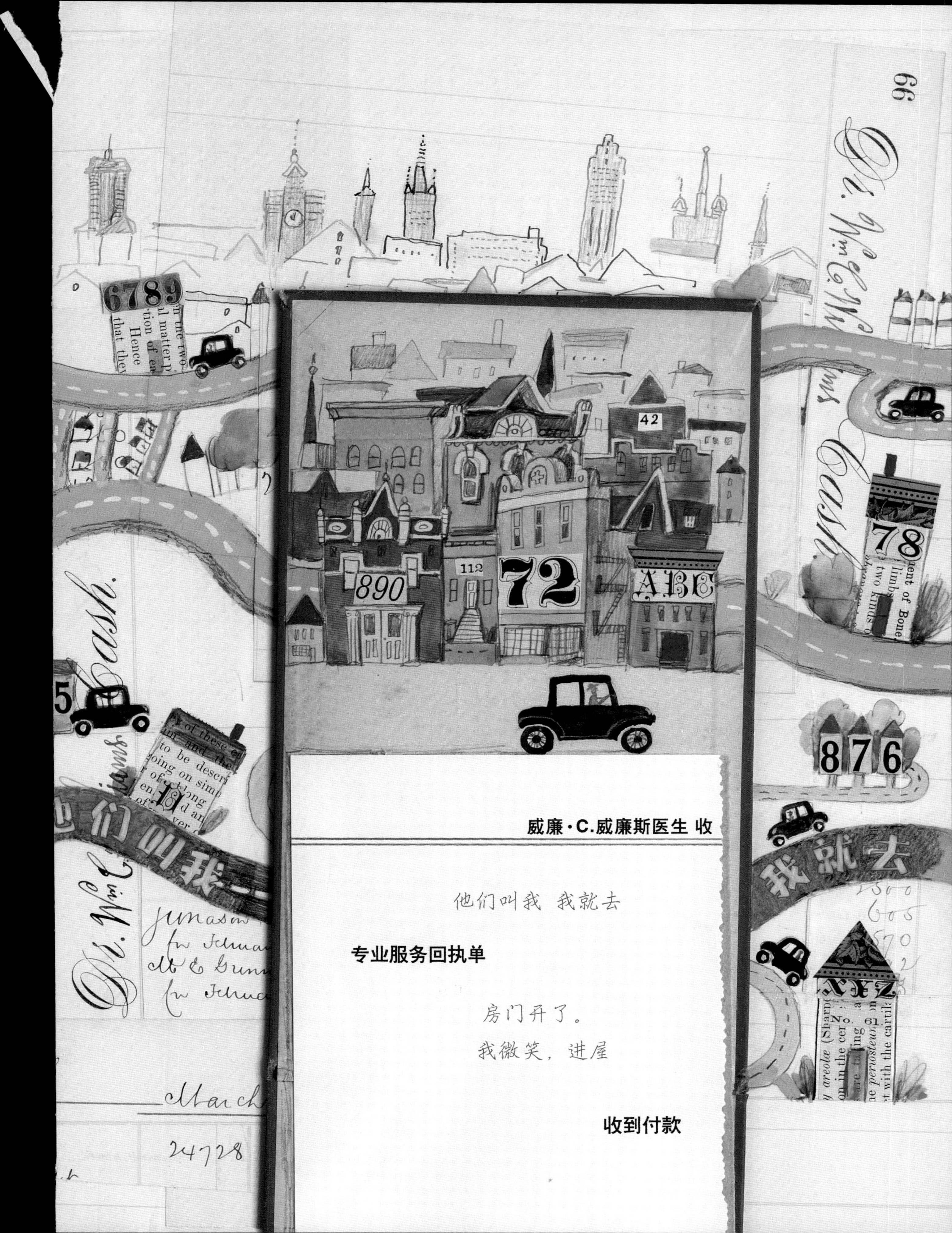
威廉·C.威廉斯医生 收
他们叫我 我就去
专业服务回执单
房门开了。
我微笑，进屋
收到付款
他们叫我
我就去
6789
42
890
112
72
78
876

从早到晚，他给人接生、接骨，治疗伤痛和病患，为咳嗽和发烧的病人开药。“威廉斯医生是镇上最忙的人。”邻居们说。确实如此。

然而，不管接生了多少婴儿，不管治愈了多少病人，威廉都没办法停止写诗。

PROFESSIONAL SERVICES RENDERED

新泽西州 拉瑟福德
里奇路9号

许多都
依靠着

一辆红色
独轮车

被雨水冲刷得
锃亮

挨着那群
白鸡

W.C.威廉斯医生 收

许多都依靠着

W.C.威廉斯医生 收
新泽西州 拉瑟福德
里奇路9号

许多都
依靠着

一辆红色
独轮车

被雨~~水~~冲刷得
锃亮

挨~~着~~那群
白~~鸡~~

许多都依靠着

一辆红色独轮车

被雨水冲刷得锃亮

挨着那群白鸡

威廉·C.威廉斯医生 收
新泽西州 拉瑟福德
里奇路9号

一辆红色独轮车

被雨水冲刷得锃亮

挨着那群白鸡

雨水
挨着那群白鸡

许多都
依靠着

一辆红色
独轮车

被雨水冲刷得
锃亮

挨着那群
白鸡

无论何时何地，只要一有机会，他就在处方笺上草草地写几行诗。

在这些宝贵的时刻，那些儿时躺在岸边听过的河水流淌的韵律，似乎在指引着他。威廉的诗句在纸上流淌，就像河水一样，有时候缓慢、流畅而坚定，有时候激流奔腾，如洪水滔滔。

作为医生忙碌了一天之后，威廉爬到阁楼上。那里有一盏台灯，还有一张书桌。书桌上满是他的艺术家朋友们的来信，还有他自己做的笔记，记录的都是他的所见所闻，以及所做的事情。

拉瑟福德小镇已经进入了梦乡。

威廉拿出他的钢笔和笔记，坐下来，看着那些文字……

便条

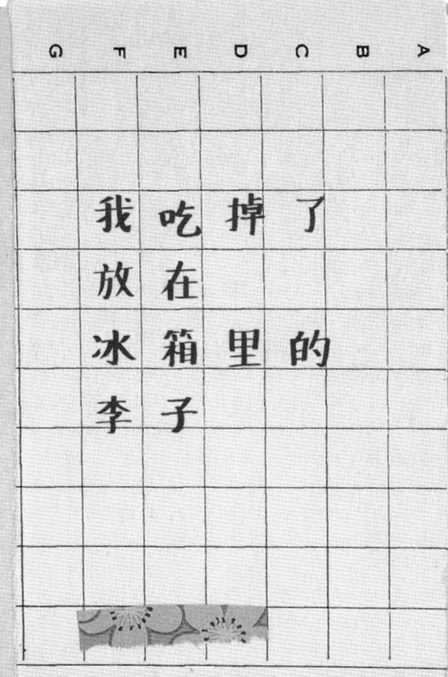

我吃掉了
放在
冰箱里的
李子

那可能
是你
留下来
当早餐的

请原谅
它们很好吃
那么甜
又那么冰凉

GEMINI
CANIS
MINOR
MONOCEROS
Milky Way
CANIS MAJOR
LEPUS
COLUMBA
9

……把它们变成诗歌。

月亮
干枯的杂草
和昂宿七星
七英尺高
深色、干枯的杂草茎
为那片夜晚
群星闪烁的
蓝色天空
饰上
红色花边
写于
一盏
小灯旁
昂宿七星
几乎
默默无名
月亮
倾斜
只余下一半

威廉·卡洛斯·威廉斯

1883年9月17日

威廉·卡洛斯·威廉斯出生于美国新泽西州的拉瑟福德。

1884年

弟弟埃德加（埃德）·威廉斯出生。

1897~1902年

就读于瑞士和法国的私立学校，在纽约上高中。

1902年

进入费城的宾夕法尼亚大学，学习医学。与画家查尔斯·德穆思和诗人埃兹拉·庞德、希尔达·杜立特尔成为朋友。业余时间创作诗歌。

1906年

在纽约的医院开始为期三年的实习。继续写作，保持与其他年轻艺术家和诗人的亲密友谊。

1909年

在德国学医，游历欧洲。第一本诗集《诗作》由一位朋友印刷出版，只售出四册。

世界大事记

1886年

约翰·彭伯顿发明可口可乐。

1886年

戈特利布·戴姆勒造出世界第一辆四轮驱动机动车。

1901年

第一台收音机开始接收无线电信号。

1903年

奥威尔和韦伯·莱特兄弟试飞第一架飞机。

1907年

彩色摄影发明。

1908年

第一辆福特T型车售出。

作品发表时间

1913年

《安宁的大地》发表

“弓箭手醒了……”

1917年

《牧歌》发表

“小麻雀……”

1917年

《诗韵的形象》发表

“白杨树上有一只鸟！……”

1917年

《牧歌》

“我年轻些的时候……”

1910年

开始在新泽西州的拉瑟福德挂牌行医，专长是儿科和妇产科。

1912年

与弗洛伦斯（弗洛西）·赫尔曼结为夫妻。

1913年

在拉瑟福德的里奇路购得一处房屋，既是住宅，也是诊所。

1914年

长子威廉·埃里克·威廉斯出生。

1916年

写下著名诗篇《巨大的数字》，后成为查尔斯·德穆思创作绘画《金色数字5》（1928）的灵感源泉。

1916年

次子保罗·赫尔曼·威廉斯出生。

1918年

结识诗人玛丽安·穆尔，并与之成为挚友。穆尔在诗歌和科学方面与威廉斯兴趣相投。

1910年

有声电影发明。

1914年

第一次世界大战爆发。

1918年

第一次世界大战结束。

1921年

《怨言》发表

“他们叫我 我就去……”

1921年

《巨大的数字》发表

“在雨中……”

1923年

《红色独轮车》发表

“许多都
依靠着……”

1928年

《寒冬来袭》发表

“月亮，干枯的杂草……”

1934年

《便条》发表

“我吃掉了……”

1925年

成为帕赛伊克综合医院的职员，但继续开办私人诊所。

1934年

出版《1921~1931年诗汇编》。此时，威廉斯已经出版了13本诗集和散文集。

1935~1945年

继续创作诗歌和散文，作品基于日常场景，以及就诊的普通工人阶层的生活经历。又出版8本诗集和散文集，包括《白骡》和《沿帕赛伊克河的生活》。

1946年

出版五卷本史诗《帕特森》的第一卷。后续四卷分别于1948年、1949年、1951年和1958年出版。

1948年

威廉斯心脏病发作。继续写作，但减少了门诊行医。儿子威廉·埃里克加入他的诊所。

1950年

因《诗选》和《帕特森》第三卷获美国国家图书奖。

1927年

查尔斯·林德伯格不着陆飞越大西洋。

1929年

股市崩盘。

1938年

电子数字计算机发明。

1939年

第二次世界大战爆发。

1940年

现代彩色电视系统发明。

1941年

美国加入二战。

1945年

美国在广岛、长崎投放原子弹，二战结束。

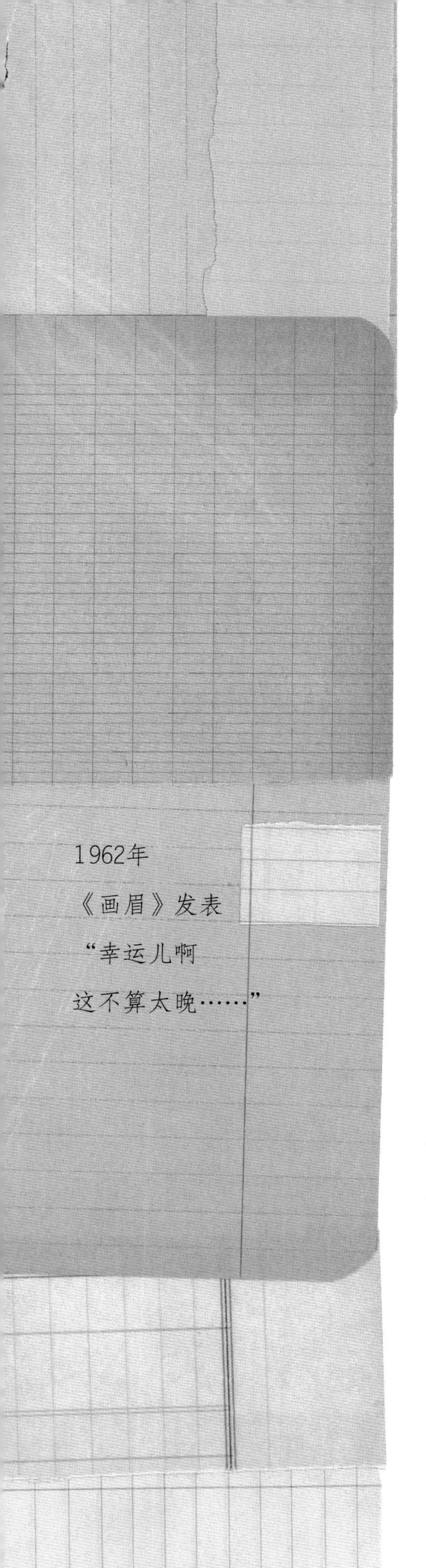

1951~1952年
几次中风后，威廉斯无法继续行医。康复后开始新的写作计划，并作演讲。被任命为国会图书馆的诗歌顾问。

1954~1960年
威廉斯不顾身体衰弱，笔耕不辍。他在家中招待和辅导年轻诗人，其中包括罗伯特·科里利、詹姆斯·莱特、戈尔韦·肯内尔、罗伯特·罗威尔、爱伦·金斯伯格和丹尼斯·利维托夫。

1957年
一号人造卫星绕地球轨道运行。

1962年
出版自己的第四十八本诗集《出自勃鲁盖尔之手的绘画》，这也是他的最后一本诗集。

1963年
（3月4日）在拉瑟福德的家中去世。5月，因《出自勃鲁盖尔之手的绘画》被追授普利策奖。

1963年
美国总统约翰·费茨杰拉德·肯尼迪遇刺。

威廉·卡洛斯·威廉斯在家乡美国新泽西州的拉瑟福德做了四十多年家庭医生。他的专长是儿科（给孩子治病）和产科（接生婴儿）。记录显示，他主持了三千多次婴儿接生。威廉斯像当时的大多数医生一样，白天到病人家看病治疗，有时夜里也要出诊。

经济大萧条期间，大量成年人失业，许多家庭无力支付医药费，威廉斯依然给他们看病。他缝好伤口，配好退烧药，或者辛苦一夜帮助产妇分娩之后，经常只能得到一条手工编织的围巾、一罐果酱或一锅热菜作为报酬。

虽然工作繁忙，但威廉斯总是能挤出时间来写诗。在最初创作的诗歌中，他效仿英国传统诗人，着眼于宏大的主题，遵循规则的格律。然而渐渐地，他形成了自己独特的风格：短句，诗节简单，少用或不用标点符号。不过，他对美国诗歌最重要的贡献，恐怕在于他致力于描写日常事物和普通人的生活。在他的诗里，读者能发现消防车、猫、花盆、李子、婴儿、建筑工人和冰箱。威廉斯试图略去不必要的细节，“以十分敏锐的洞察力……看到事物的本质”。

他成年后几乎一直在写诗，但是直到六十多岁时，他的作品才变得有名。当时他已经出版了十几本诗集和好几本散文、戏剧和短篇小说集。如今，威廉·卡洛斯·威廉斯被认为是最有影响力的美国诗人之一，他的作品在全世界的大学和中小学里被阅读和学习。威廉斯1963年去世，享年79岁。

——珍·布赖恩特

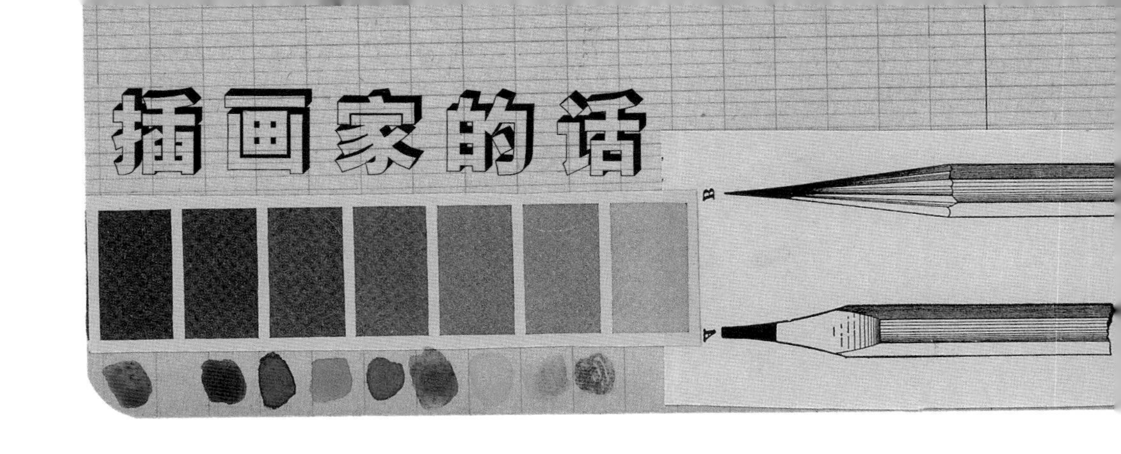

我七岁那年，不经意间接触到了威廉·卡洛斯·威廉斯的作品。我住在新泽西州北部（距威廉斯位于拉瑟福德的故居不远），我所在的女童子军去参观纽约大都会艺术博物馆。那天我买的纪念品是一张明信片，上面正是查尔斯·德穆思的那幅画——《金色数字5》。那是许多年前的事了，幼年的我不知道那幅画的灵感来自威廉·卡洛斯·威廉斯的一首诗。当年威廉斯写了那首诗，并与他多年的老朋友德穆思分享。后来，虽然我听说了那首诗，却也没把两者联系起来，直到这份手稿交到我手中。

在为此书做调研期间，我曾前往新泽西州的拉瑟福德公共图书馆，那里收藏着许多跟威廉斯生平和著作相关的珍贵文献。图书馆馆员们都很耐心，不吝惜时间。我特别要感谢简·费舍尔，她向我展示了威廉斯的照片、信件，以及他的一些生活用品——书桌、打字机和草帽，还给了我许多专业性的意见。我看到了威廉斯位于里奇路的房子，就在从图书馆出来的路旁，我在新泽西州的帕特森附近流连忘返，拍照，画速写。

每一本书的插图，都需要一种不同的演绎。这些图画需要传达威廉斯那个时代，以及对他产生重大影响的现代艺术。我尝试了许多种风格都失败了——似乎我画出的东西都不够有力，配不上他的诗作。后来，我求助于从一次藏书拍卖上购得的一大箱旧书。其中有一本书的环衬很漂亮，我就在上面画了一些小图。然后我撕下一本书的封面，在上面又画了些别的。那些书的封面成了我的画布，我点点滴滴收藏的零碎，成了抽象剪贴画的素材。

每一个项目都能促进画家成长，然而这本书绝对是上天给我的一份馈赠。

——梅利莎·斯威特

理想是一种力量

袁晓峰（著名儿童阅读推广人）

这真是我读过的最有诗意的绘本！

这是一个普通男孩的成长故事，也是一位传奇诗人的励志人生。

这本书中充满了完美交织的手绘与拼贴，也随处可见活泼灵动的语丝与诗行。

这是一本图文完美协奏出的趣味盎然的图画书，每一次翻开，我都会感到目不暇接。

如果让我用最简单的话语来形容这本书，那就是：画中有画，话中有话，事外有事。

本书的插画家梅利莎·斯威特在插画中融入了许多与主人公威廉·威廉斯成长息息相关的剪贴画。中学时代的拼字题集、英语课本，大学时期激发威廉创作灵感的著名绘画作品，工作之后的医学著述……古旧的书页、做旧的纸张、图书的封面、打印的票据、水彩以及各种媒介的混合，让书中的每一页都有了年代感，不经意间就将我拉进了威廉的世界。

在叙述故事的文字之外，故事中的每一个人物都在说话：河流在浅吟低唱，老师在朗读诗歌，妈妈在与威利谈心，同学在与威廉争论……每一个人都在故事之中，又在故事之外发出自己的声音。

在讲完故事后，作者还别出心裁地附上了一份不一样的生平大事记：在威廉的生平大事旁边，还穿插着他的创作经历与世界大事记。对照着这个大事记表，再回头读一遍这本图画书，我相信，你又能读出第一遍还没有读出的更多的故事。

在故事的开头，我们见到了一个普通的男孩——威利。威利喜欢打棒球，喜欢和朋友玩闹，还喜欢翻过自家后院的栅栏，去树林和田野里漫步。古旧的美国地图与手绘的美国乡

间图画拼贴在一起，一个活泼好动、向往自由的男孩就从字里行间跳了出来。我们跟着威利一起漫步田野，一起躺在了帕塞伊克河畔，听流淌的河水唱起了歌。

然而，无忧无虑的童年总是短暂的。和所有的孩子一样，随着年纪的增长，威利的课业越来越重。他不再有时间在田野里徜徉，倾听河流的歌声了。就在这时，诗歌走进了威利的生活。优美的诗歌和大自然一样，让威利感到宁静。他开始提笔写自己的诗。

这可不是老师布置的作业，也不是妈妈的要求，而是威利自己想要写的。他愿意一辈子都乐此不疲地写下去。威利的诗有时写在笔记本上，有时写在练习册上。他的诗句或长或短，有时甚至只是几个简单的单词，但都来自于威利对生活的所见所感。

但是，和所有的年轻人一样，威利面临着一个大难题：理想与现实的矛盾。虽然威利热爱着诗歌，可诗歌却无法让他养家糊口。威利选择成为一名医生。从此，小镇上多了一位威廉斯医生，大家都说，威廉斯医生是小镇上最忙的人。

但是，再忙碌的工作也没有阻挡威廉的诗歌创作。在出诊单上、病历上、收据上，威廉依旧记下了自己的点滴灵感。直到 1963 年去世，威廉·威廉斯一生共出版了 48 本诗集。在他去世两个月后，威廉因为他的最后一本诗集《出自勃鲁盖尔之手的绘画》被追授普利策奖。但对于威廉来说，荣誉从来不是目的，更不是成功的标志。唯有他对诗歌的喜爱，才是激励着他几十年如一日坚持写诗的动力。

人在做自己喜欢的事时，就会乐此不疲、坚持不懈，就像乔布斯所说："我很清楚，唯一使我一直走下去的，就是我做的事情令我无比钟爱……你需要去找到你真正所爱的东西。"当孩子对某件事感兴趣时，他会专注，他会坚持，他会不用扬鞭自奋蹄，他会为享受而学习和工作。

爸爸妈妈们，你们会尊重并鼓励孩子去做那些他们自己热爱的事吗？

也许我们自己有一个物质不够丰富的童年，我们希望孩子能拥有一个物质丰富的人生；也许我们自己有一个未曾实现的梦想，我们期盼孩子去实现那个已经远离我们的梦；也许我们自己已经习惯了枯燥无味的生活，无形中就会为孩子画地为牢……如此一来，孩子便会从小活在我们虚构的梦里，从小就开始被动学习那些他不感兴趣的东西，从小便牺牲了自己本该拥有的快乐和梦想。

不仅如此，我们还会拿自己的孩子与别人的孩子相比：楼下的孩子在学舞蹈，你就赶紧给自己的孩子报个舞蹈班；隔壁的孩子在学钢琴，你就马上买架钢琴，天天逼着孩子练；楼上的孩子拿了个英语大赛的优胜奖，你就唠唠叨叨地数落孩子为什么不奋起直追……

每一个孩子都是独一无二的，他们不是等待被填充的容器，而是期待被点燃的火把。让我们追随孩子的脚步，去发现并培育孩子的好奇心与兴趣，鼓励孩子追随自己的心，去尝试、努力，做自己喜欢的事吧！

追随自己的心去尝试，哪怕失败；追随自己的心去努力，哪怕离目标还远；去做自己喜欢的事，他就会一直拥有不竭的动力，就会一直拥有探索世界的好奇，就会一直拥有追求幸福的勇气，就会离梦想越来越近。

正如罗曼·罗兰说的：“一种理想，就是一种力量。”

红色独轮车

许多都
依靠着

一辆红色
独轮车

被雨水冲刷得
锃亮

挨着那群
白鸡

便条

我吃掉了
放在
冰箱里的
李子

那可能
是你
留下来
当早餐的

请原谅
它们很好吃
那么甜
又那么冰凉

11月1日

（节选自《寒冬来袭》）

月亮，干枯的杂草
和昴宿七星—— *

七英尺高
深色、干枯的杂草茎
为那片夜晚
群星闪烁的蓝色天空
饰上红色花边

写于——
一盏小灯旁

昴宿七星几乎
默默无名
月亮倾斜
只余下一半

*昴星团中最明亮的7颗恒星。

巨大的数字

在雨中
灯影里
我看见了数字5
金色
在一辆红色
消防车上
摇晃
绷紧
被忽视
当当的锣鸣
呼啸的警笛
还有滚过黑暗城市的
隆隆车轮。